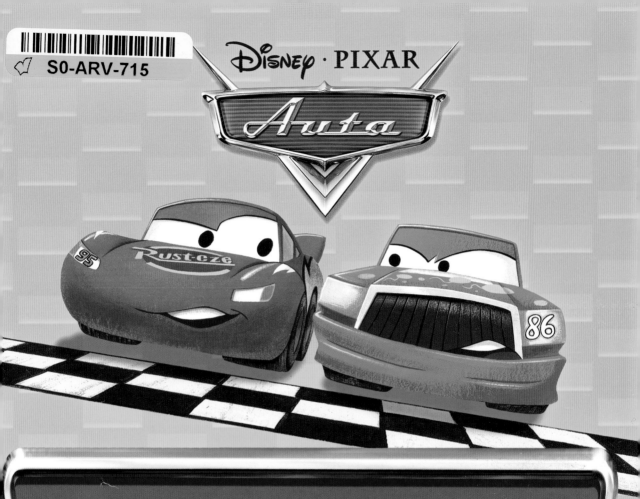

Disney · PIXAR

Auta

Zygzak McQueen był szybki, ale czasem trzeba czegoś więcej, żeby wygrać wyścig. Jeśli chcesz dowiedzieć się, czy zasłuży w końcu na tytuł mistrza, to zapnij pasy i śmiało czytaj razem ze mną!
Gdy trzeba będzie przewrócić stronę, usłyszysz taki dźwięk…

Odpalamy silniki! Gotowi do startu?!

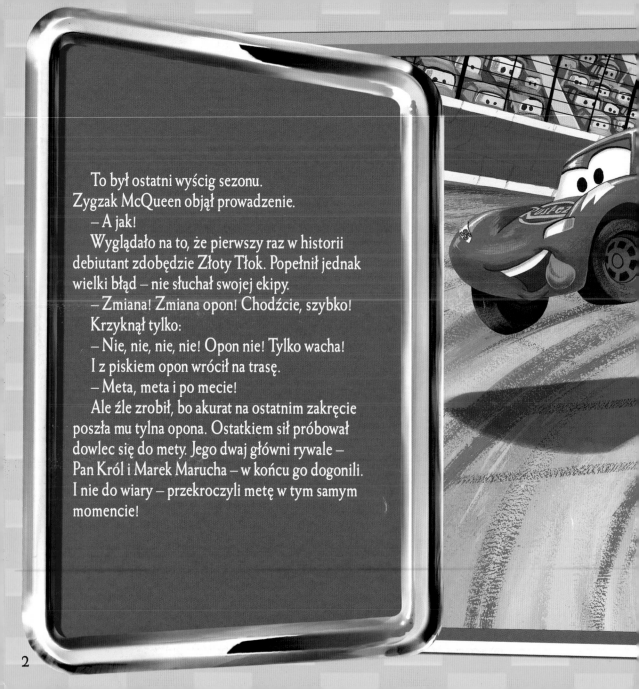

To był ostatni wyścig sezonu.
Zygzak McQueen objął prowadzenie.
– A jak!
Wyglądało na to, że pierwszy raz w historii debiutant zdobędzie Złoty Tłok. Popełnił jednak wielki błąd – nie słuchał swojej ekipy.
– Zmiana! Zmiana opon! Chodźcie, szybko!
Krzyknął tylko:
– Nie, nie, nie, nie! Opon nie! Tylko wacha!
I z piskiem opon wrócił na trasę.
– Meta, meta i po mecie!
Ale źle zrobił, bo akurat na ostatnim zakręcie poszła mu tylna opona. Ostatkiem sił próbował dowlec się do mety. Jego dwaj główni rywale – Pan Król i Marek Marucha – w końcu go dogonili. I nie do wiary – przekroczyli metę w tym samym momencie!

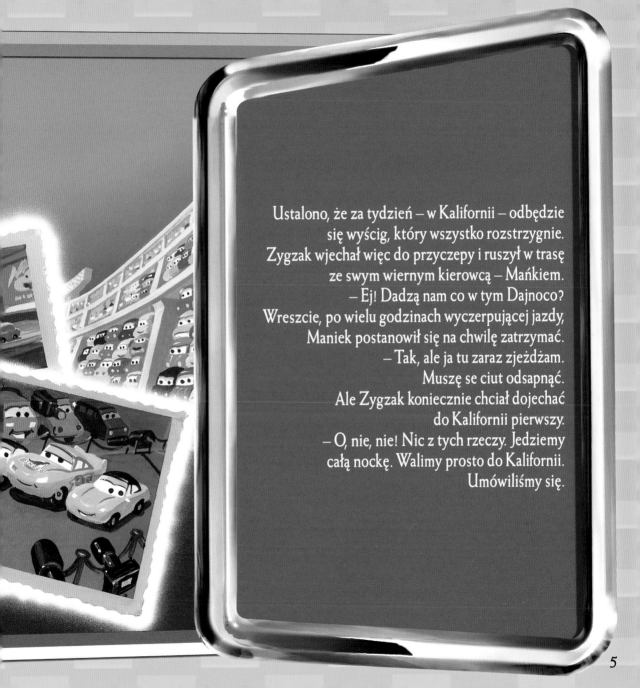

Ustalono, że za tydzień – w Kalifornii – odbędzie
się wyścig, który wszystko rozstrzygnie.
Zygzak wjechał więc do przyczepy i ruszył w trasę
ze swym wiernym kierowcą – Mańkiem.
– Ej! Dadzą nam co w tym Dajnoco?
Wreszcie, po wielu godzinach wyczerpującej jazdy,
Maniek postanowił się na chwilę zatrzymać.
– Tak, ale ja tu zaraz zjeżdżam.
Muszę se ciut odsapnąć.
Ale Zygzak koniecznie chciał dojechać
do Kalifornii pierwszy.
– O, nie, nie! Nic z tych rzeczy. Jedziemy
całą nockę. Walimy prosto do Kalifornii.
Umówiliśmy się.

Biedak musiał jechać dalej, a Zygzak w tym czasie uciął sobie drzemkę. Maniek bardzo się starał, żeby nie zasnąć. W pewnym momencie odpłynął w krainę snu i nagle banda ulicznych wyrostków zaczęła przepychać go po trasie.

W czasie tych wygłupów drzwi przyczepy nagle się otworzyły. Jeden z chuliganów kichnął, co tak wystraszyło Mańka, że przyśpieszył, gubiąc przy tym swój cenny ładunek. Zygzak wypadł na środek ruchliwej ulicy. Kiedy się zbudził, zaczął rozpaczliwie szukać kierowcy:

– Marian?! Marian! Czekaj no, Marian!

Popędził za odjeżdżającą ciężarówką, ale to nie był Maniek.

Gdy bezradny i zagubiony Zygzak mijał tablicę
z napisem Chłodnica Górska, usłyszał za sobą
policyjną syrenę.
– O, nie! No…
Kiedy zwalniał, Szeryf wystrzelił z rury
wydechowej. Zygzak nie wiedział, co się dzieje.
– On strzela do mnie! Kurde,
co ja mu zrobiłem?
Przerażony, zaczął uciekać prosto w kierunku
Chłodnicy Górskiej. Niespodziewanie stracił
przyczepność i narobił ogromnego zamieszania.
Prawie rozbił się o miejscowy pomnik
i niechcący zrzucił go z cokołu.
Gdy już było po wszystkim, Zygzak bezradnie
wisiał skrępowany kablami telefonicznymi.
Cała droga była zniszczona. Nadjechał Szeryf.
– No! Teraz to se namotałeś.

Gdy następnego ranka Zygzak otworzył oczy,
usłyszał zardzewiałą ciężarówkę, witającą go wesoło.

– To jak? Wstawasz czy nie?

– Błagam, nie zabijaj mnie. Oddam wszystko,
co chcesz.

Zygzak chciał jak najszybciej stamtąd odjechać.
Niestety, na kole miał założoną solidną blokadę.
Nieznajomy miał ubaw.

– Śmieszny jesteś! Zaraz mi się spodobałeś.
A w ogóle to jestem Złomek.

– Złomek?

– Tak, á la jakby ziomek, tyle że przez „łe", no.
I wtedy pojawił się Szeryf.

– Co ja ci mówiłem o rozmawianiu z więźniem?

– Że nie wolno.

– To nie kłap maską i ciąg do sądu tego
zwyrodnialca, cokolwiek złamał.

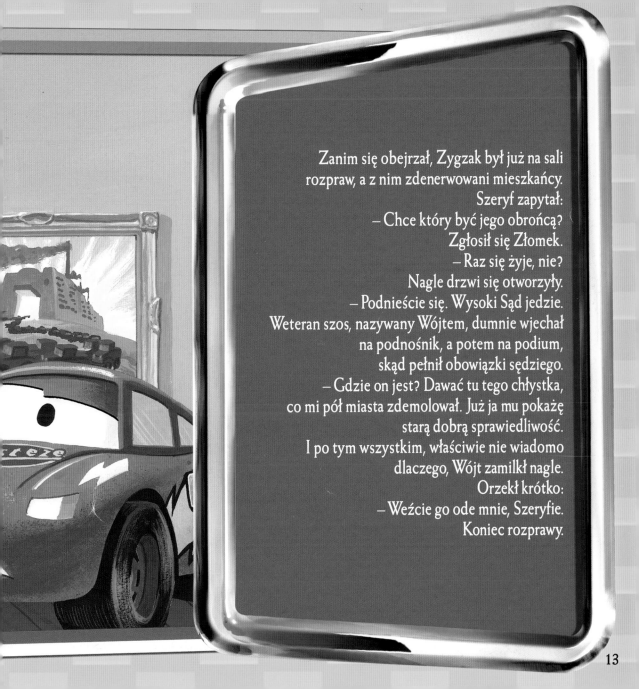

Zanim się obejrzał, Zygzak był już na sali
rozpraw, a z nim zdenerwowani mieszkańcy.
Szeryf zapytał:
– Chce który być jego obrońcą?
Zgłosił się Złomek.
– Raz się żyje, nie?
Nagle drzwi się otworzyły.
– Podnieście się. Wysoki Sąd jedzie.
Weteran szos, nazywany Wójtem, dumnie wjechał
na podnośnik, a potem na podium,
skąd pełnił obowiązki sędziego.
– Gdzie on jest? Dawać tu tego chłystka,
co mi pół miasta zdemolował. Już ja mu pokażę
starą dobrą sprawiedliwość.
I po tym wszystkim, właściwie nie wiadomo
dlaczego, Wójt zamilkł nagle.
Orzekł krótko:
– Weźcie go ode mnie, Szeryfie.
Koniec rozprawy.

Zygzak aż zaniemówił ze szczęścia. I wtedy na sali pojawiła się piękna Carrera.

— Przepraszam za spóźnienie.

Zygzak był przekonany, że wysłał ją jego prawnik, więc powiedział:

— Cześć. Dzięki, że wpadłaś, ale już po płaczu. Znów mi się upiekło.

Ale Sally nie miała nic wspólnego z jego prawnikiem. Była miejscowym obrońcą. Zygzaka zamurowało, kiedy poprosiła sędziego o zmianę wyroku.

— Jak to – o co? Każ temu głąbowi naprawić drogę.

Według Sally, miasteczko bez głównej drogi nie przetrwałoby długo, a skoro to Zygzak jest odpowiedzialny za jej zniszczenie, powinien ją w ramach kary naprawić.

— To... Co postanowiliście?

— Naprawić drogę!

I cóż... Wójt Hudson zmienił wyrok.

Zygzak miał więc zostać w Chłodnicy Górskiej, by naprawić drogę.

15

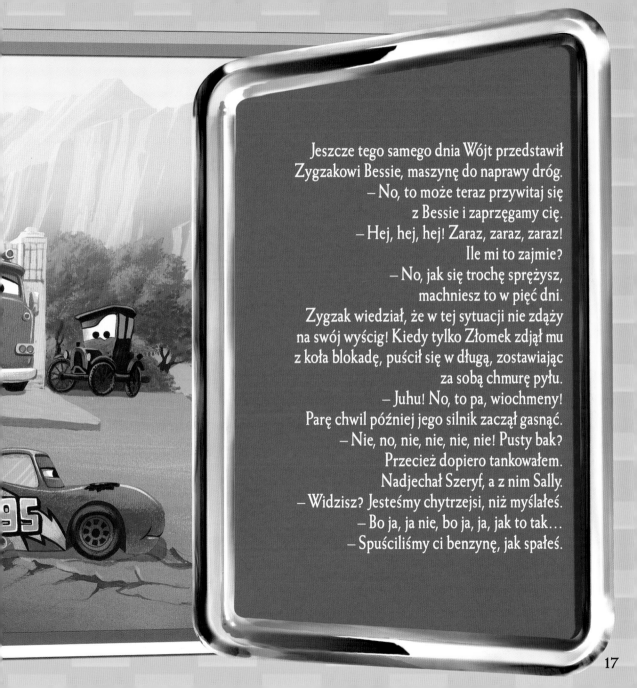

Jeszcze tego samego dnia Wójt przedstawił
Zygzakowi Bessie, maszynę do naprawy dróg.
– No, to może teraz przywitaj się
z Bessie i zaprzęgamy cię.
– Hej, hej, hej! Zaraz, zaraz, zaraz!
Ile mi to zajmie?
– No, jak się trochę sprężysz,
machniesz to w pięć dni.
Zygzak wiedział, że w tej sytuacji nie zdąży
na swój wyścig! Kiedy tylko Złomek zdjął mu
z koła blokadę, puścił się w długą, zostawiając
za sobą chmurę pyłu.
– Juhu! No, to pa, wiochmeny!
Parę chwil później jego silnik zaczął gasnąć.
– Nie, no, nie, nie, nie, nie! Pusty bak?
Przecież dopiero tankowałem.
Nadjechał Szeryf, a z nim Sally.
– Widzisz? Jesteśmy chytrzejsi, niż myślałeś.
– Bo ja, ja nie, bo ja, ja, jak to tak…
– Spuściliśmy ci benzynę, jak spałeś.

17

Rachunek wyszedł Zygzakowi dość prosty. Im szybciej skończy naprawiać drogę, tym szybciej będzie mógł udać się do Kalifornii.

Od razu zabrał się do roboty. Skończył po niecałej godzinie.

— Podziękujcie ładnie i już mnie nie ma.

Gdy mieszkańcy spojrzeli na jego „dzieło", nie zobaczyli nic poza niechlujnie porozrzucanym asfaltem.

— Wygląda okropnie.

— Hej! Ten wasz sołtys mówił, że mnie puści, jak skończę. Taka była umowa.

Nadjechał Wójt.

— Umowa była, że naprawisz drogę, a nie bardziej zepsujesz. Masz to zerwać.

— Słuchaj, Wójciu, ja nie jestem buldożer. Jestem wyścigówa.

— Ohoho! Co ty nie powiesz! To może sobie urządzimy wyścig? My we dwóch. Ty wygrasz — puszczam cię i sam robię drogę, ja wygram — naprawisz drogę po mojemu.

Zygzak bez wahania podjął wyzwanie.

Był pewien, że nie może przegrać.

Wójt i Zygzak McQueen spotkali się na torze
za miastem. Stanęli na linii startu.
Wszyscy mieszkańcy patrzyli z przejęciem.
Luigi, sprzedawca opon, dał sygnał do startu.
– Ja mówię. Attenzione! Paszli!
Zygzak wystrzelił jak z procy! Wójt został
w chmurze pyłu. Dopiero po dłuższej chwili
z wolna zaczął się toczyć po torze.
Nie było żadnych wątpliwości.
Nie miał szans dogonić rywala. I co się stało?
Zygzak już na pierwszym zakręcie stracił
przyczepność i spadł z toru prosto w kolczaste
kaktusy. Wójt spokojnie podjechał.
– Jeździsz tak, jak naprawiasz drogi. Byle jak.

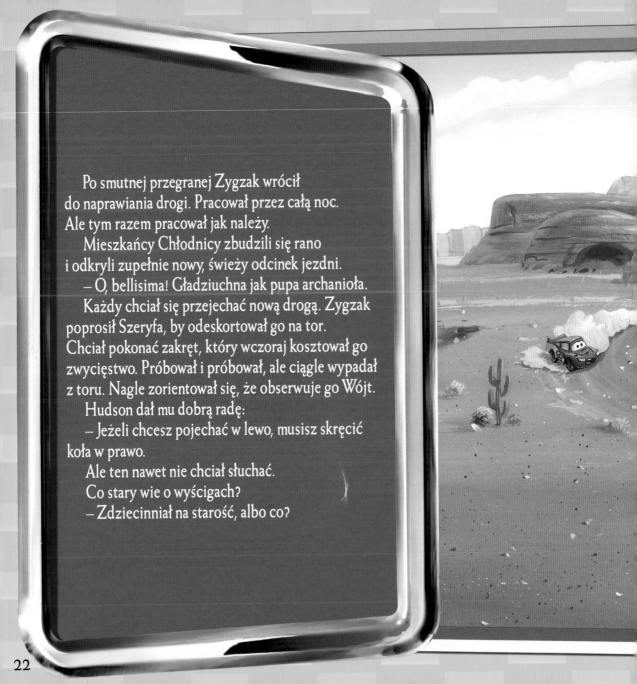

Po smutnej przegranej Zygzak wrócił
do naprawiania drogi. Pracował przez całą noc.
Ale tym razem pracował jak należy.

Mieszkańcy Chłodnicy zbudzili się rano
i odkryli zupełnie nowy, świeży odcinek jezdni.

— O, bellisima! Gładziuchna jak pupa archanioła.

Każdy chciał się przejechać nową drogą. Zygzak
poprosił Szeryfa, by odeskortował go na tor.
Chciał pokonać zakręt, który wczoraj kosztował go
zwycięstwo. Próbował i próbował, ale ciągle wypadał
z toru. Nagle zorientował się, że obserwuje go Wójt.

Hudson dał mu dobrą radę:

— Jeżeli chcesz pojechać w lewo, musisz skręcić
koła w prawo.

Ale ten nawet nie chciał słuchać.

Co stary wie o wyścigach?

— Zdziecinniał na starość, albo co?

23

Następnego ranka nasz bohater znów zabrał się
do pracy. Mieszkańcy Chłodnicy Górskiej byli
pod wielkim wrażeniem nowej jezdni. Postanowili
odnowić swoje sklepiki. Miasteczko zaczynało
wyglądać naprawdę okazale.
Sally zaproponowała nawet Zygzakowi nocleg
w swoim motelu, żeby nie musiał spać
pod gołym niebem.
Tej nocy Zygzaka miał pilnować Złomek.
Wybrali się „na traktory". To dziwna zabawa.
Trzeba zakraść się jak najbliżej śpiących traktorów
i nastraszyć je klaksonem.
Jak traktor się budzi, jest tak przerażony,
że się przewraca! Kiedy już mieli dość,
ruszyli w stronę miasteczka.

Gdy tak jechali, Złomek zaczepiał Zygzaka:

– Zabujałeś się w naszej Sally!

Śmiał się, wypytywał i nagle zaczął jechać tyłem. Zygzak pierwszy raz widział coś podobnego!

– Możesz przestać? To jest jakieś dziwne. Jeszcze będzie z tego kraksa, albo co.

– Kraksa? Gdzie! Na wstecznym to ja jestem mistrzem świata.

Złomek dał doprawdy wspaniały pokaz jazdy tyłem.

– Kurde, ale to było niesamowite! Jak żeś to zrobił?

– Ma się te lusterka, nie?

– No! Może mi się przyda na wyścigu.

– A co ty się tak nacapierzasz na te wyścigi? No, powiedz, no!

– Od samego początku o nim marzę. Żaden nowicjusz go jeszcze nie wygrał. Żaden! Rozumiesz? A kiedy mi się uda, o... to wtedy złapię porządnego sponsora, takiego z helikopterem...

– Jak ci się zdawa – mógłbyś mi ty kiedyś załatwić, żebym się tym helikoptrem przefrunął?

– Tak, tak, tak. Jasne, spoko.

Złomek był w siódmym niebie.

– Jednakowoż... Jednakowoż wybrałem prawidłowo.

– Ale co?

– Ciebie na przyjaciela. No, to do jutra, stary!

Następnego dnia Zygzak czekał
na Szeryfa, by ten dał mu dzienną porcję benzyny.
Czekając, zajrzał do garażu Wójta.
Zastał tam bałagan.
– Uuu, Wójciu! Czas by tu troszkę może
uprzątnąć. Ale tu bajzel!
I wtedy natknął się na coś
naprawdę absolutnie niesamowitego.
Zaraz potem pojawił się Wójt.
– Było napisane: nie wchodzić?
– Ale… Ty masz trzy Tłoki?! Jak?…
Ty jesteś Hudson Hornet?
Wójt zatrzasnął drzwi, ale Zygzak był tak
podekscytowany odkryciem, że niezrażony pojechał
wszystkim o nim opowiedzieć.
– Wiecie, że Wójt to legenda wyścigów?
Mieszkańcy wprawdzie słuchali,
lecz nikt nie chciał mu wierzyć.

Po tym wszystkim Sally zaproponowała Zygzakowi przejażdżkę. Przemierzali przepiękne górskie trasy. Zygzak był zauroczony niesamowitym widokiem. Gdy wreszcie dotarli na szczyt, zapytał:

– Co taka porszówa robi w takiej dziurze?

– Wiesz, historia jakich wiele. Miałam kancelarię w Los Angeles, ale narzuciłam sobie za szybkie tempo…

– A tak, znam ten ból.

– I wyobraź sobie, nie czułam się… szczęśliwa.

– Tak… Znaczy – jak to?

– Tak to. Wyjechałam z Kalifornii, jechałam, jechałam, aż mi coś w środku pękło. O, tutaj. Wójt się mną zajął. Lola. Inni zresztą też. No i tak już zostało.

Zygzak zaczynał rozumieć, czym dla Sally jest to miasteczko i jego mieszkańcy. I jeszcze coś – Sally wyznała, że chce przywrócić Chłodnicy Górskiej utraconą świetność.

Gdy wrócili do miasteczka, Zygzak podziękował:

– Posłuchaj, dzięki za przejażdżkę. Było superfajnie. Nawet miło się tak wlec, koło za kołem.

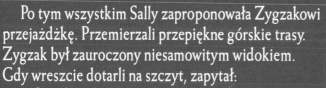

Po jakimś czasie Zygzak udał się na tor
za miasteczkiem, gdzie Wójt samotnie zaliczał
okrążenia. Zygzak był pod wrażeniem.
Gdy Wójt zorientował się, że ktoś go obserwuje,
odjechał. Zygzak pojechał za nim do garażu.
— Ej, zaczekaj! Poważnie! Naprawdę!
Aż mnie zamurowało!
— Cieszę się. Wynocha.
— Słowo honoru. Mógłbyś startować!
Tak naprawdę jesteśmy tacy sami!
— Nie jesteśmy tacy sami. Wypraszam sobie. Wynocha.
Wójt opowiedział, jak wszyscy ze świata wyścigów
odwrócili się od niego, gdy miał poważny wypadek.
— Ale ja nie jestem taki jak oni.
— Nie? A tobie się w ogóle zdarza pomyśleć
czasem o innych, mistrzu? Skończ wreszcie
tę drogę i zjeżdżaj stąd.

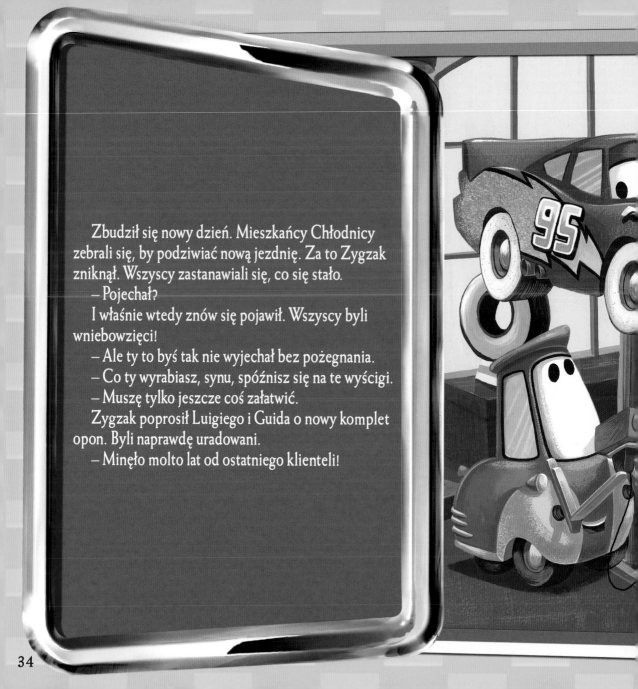

Zbudził się nowy dzień. Mieszkańcy Chłodnicy zebrali się, by podziwiać nową jezdnię. Za to Zygzak zniknął. Wszyscy zastanawiali się, co się stało.

– Pojechał?

I właśnie wtedy znów się pojawił. Wszyscy byli wniebowzięci!

– Ale ty to byś tak nie wyjechał bez pożegnania.

– Co ty wyrabiasz, synu, spóźnisz się na te wyścigi.

– Muszę tylko jeszcze coś załatwić.

Zygzak poprosił Luigiego i Guida o nowy komplet opon. Byli naprawdę uradowani.

– Minęło molto lat od ostatniego klienteli!

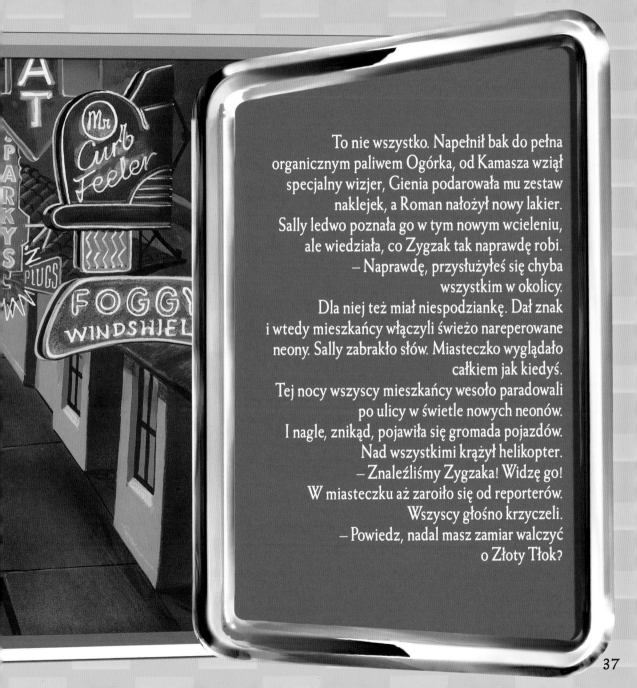

To nie wszystko. Napełnił bak do pełna organicznym paliwem Ogórka, od Kamasza wziął specjalny wizjer, Gienia podarowała mu zestaw naklejek, a Roman nałożył nowy lakier. Sally ledwo poznała go w tym nowym wcieleniu, ale wiedziała, co Zygzak tak naprawdę robi.
— Naprawdę, przysłużyłeś się chyba wszystkim w okolicy.
Dla niej też miał niespodziankę. Dał znak i wtedy mieszkańcy włączyli świeżo nareperowane neony. Sally zabrakło słów. Miasteczko wyglądało całkiem jak kiedyś.
Tej nocy wszyscy mieszkańcy wesoło paradowali po ulicy w świetle nowych neonów.
I nagle, znikąd, pojawiła się gromada pojazdów. Nad wszystkimi krążył helikopter.
— Znaleźliśmy Zygzaka! Widzę go!
W miasteczku aż zaroiło się od reporterów. Wszyscy głośno krzyczeli.
— Powiedz, nadal masz zamiar walczyć o Złoty Tłok?

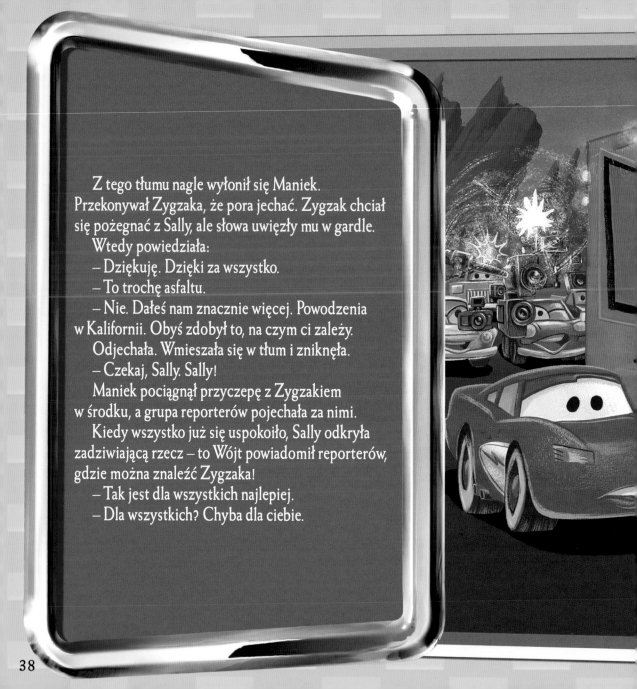

Z tego tłumu nagle wyłonił się Maniek. Przekonywał Zygzaka, że pora jechać. Zygzak chciał się pożegnać z Sally, ale słowa uwięzły mu w gardle.

Wtedy powiedziała:

– Dziękuję. Dzięki za wszystko.

– To trochę asfaltu.

– Nie. Dałeś nam znacznie więcej. Powodzenia w Kalifornii. Obyś zdobył to, na czym ci zależy.

Odjechała. Wmieszała się w tłum i zniknęła.

– Czekaj, Sally. Sally!

Maniek pociągnął przyczepę z Zygzakiem w środku, a grupa reporterów pojechała za nimi.

Kiedy wszystko już się uspokoiło, Sally odkryła zadziwiającą rzecz – to Wójt powiadomił reporterów, gdzie można znaleźć Zygzaka!

– Tak jest dla wszystkich najlepiej.

– Dla wszystkich? Chyba dla ciebie.

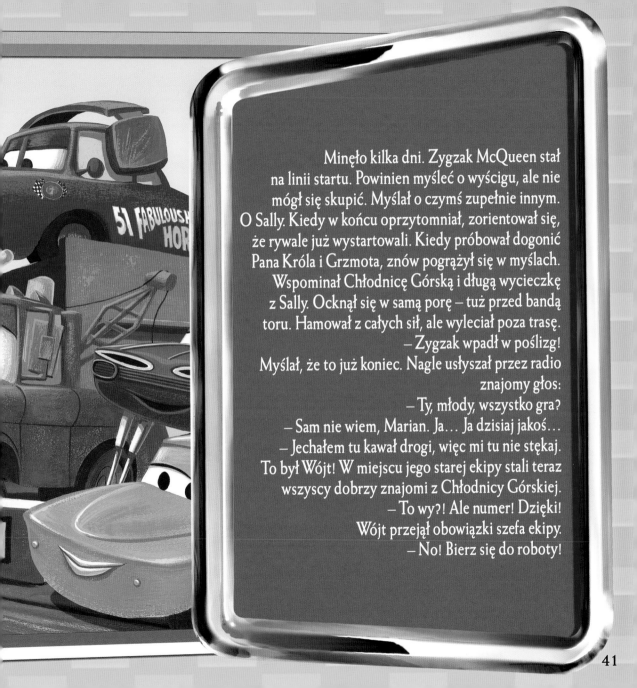

Minęło kilka dni. Zygzak McQueen stał na linii startu. Powinien myśleć o wyścigu, ale nie mógł się skupić. Myślał o czymś zupełnie innym. O Sally. Kiedy w końcu oprzytomniał, zorientował się, że rywale już wystartowali. Kiedy próbował dogonić Pana Króla i Grzmota, znów pogrążył się w myślach. Wspominał Chłodnicę Górską i długą wycieczkę z Sally. Ocknął się w samą porę – tuż przed bandą toru. Hamował z całych sił, ale wyleciał poza trasę.

– Zygzak wpadł w poślizg!

Myślał, że to już koniec. Nagle usłyszał przez radio znajomy głos:

– Ty, młody, wszystko gra?

– Sam nie wiem, Marian. Ja… Ja dzisiaj jakoś…

– Jechałem tu kawał drogi, więc mi tu nie stękaj.

To był Wójt! W miejscu jego starej ekipy stali teraz wszyscy dobrzy znajomi z Chłodnicy Górskiej.

– To wy?! Ale numer! Dzięki!

Wójt przejął obowiązki szefa ekipy.

– No! Bierz się do roboty!

Podbudowany przez przyjaciół Zygzak odnalazł w sobie zapasy energii. Wrócił do gry pełen zapału, całe okrążenie za liderem.

Komentator śledził akcję.

– Zygzak wyprzedza rywali!

– Bardzo dobrze, młody. Miej oczy otwarte.

W następnym okrążeniu Zygzak chciał przemknąć po zewnętrznej. Marucha uderzył go w bok. Zygzak aż się obrócił. Ale wcale nie wypadł z trasy. Wykorzystał specjalną technikę Złomka – jazdę tyłem. Umknął rywalowi.

Złomek krzyczał:

– Ha, ha, ha, ha, ha! Moja szkoła, nie? Ha, ha!

– Zygzak wykonał pół pirueta i jest za liderem.

Marucha ani myślał zostawać w tyle. W końcu dogonił rywala i znów go uderzył. Zygzakowi strzeliła opona.

– Kurde, mam flaka! Flaka mam!

Zygzak zjechał do boksu, gdzie zręczny Guido
wykonał najszybszą w historii wymianę opon.
Zygzak wrócił na trasę z kompletem nowych gum.
Po kilku następnych kółkach w powietrzu
pojawiła się biała flaga.
To było ostatnie okrążenie.
Wójt zagrzewał do walki:
– Weź się w garść, młody. Zostały ci
cztery zakręty.
Trzy silniki ryczały wniebogłosy. Tym razem
Zygzak atakował od wewnętrznej. Marucha uderzył
go z całych sił. Zygzak wyleciał poza tor, ale miał
jeszcze jednego asa w rękawie.
Za radą Wójta skręcił koła w prawo, by jechać
w lewo i wrócił bez kłopotów na trasę.
Teraz prowadził!
Kiedy miał już przekroczyć linię mety,
usłyszał krzyk tłumu. Marek Marucha uderzył tym
razem Króla. Wypchnął go z trasy.
Tłum krzyczał, Zygzak widział,
jak poobijany Król wypada z toru.

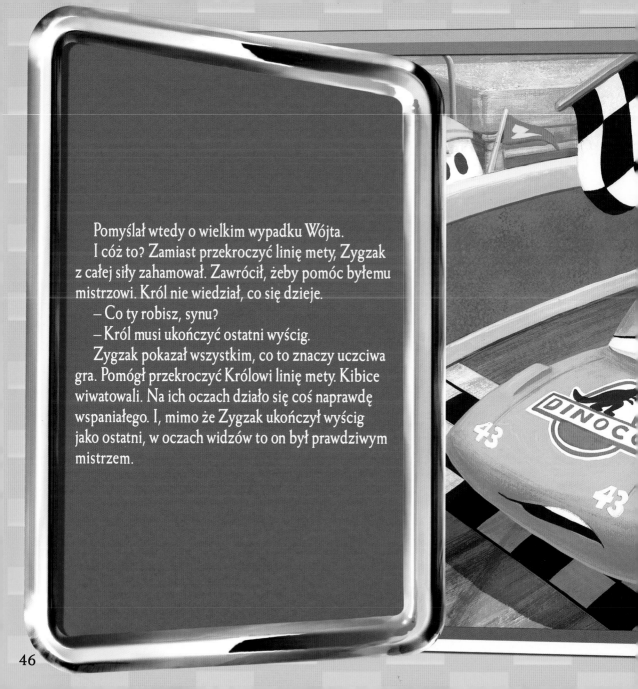

Pomyślał wtedy o wielkim wypadku Wójta.

I cóż to? Zamiast przekroczyć linię mety, Zygzak z całej siły zahamował. Zawrócił, żeby pomóc byłemu mistrzowi. Król nie wiedział, co się dzieje.

– Co ty robisz, synu?

– Król musi ukończyć ostatni wyścig.

Zygzak pokazał wszystkim, co to znaczy uczciwa gra. Pomógł przekroczyć Królowi linię mety. Kibice wiwatowali. Na ich oczach działo się coś naprawdę wspaniałego. I, mimo że Zygzak ukończył wyścig jako ostatni, w oczach widzów to on był prawdziwym mistrzem.

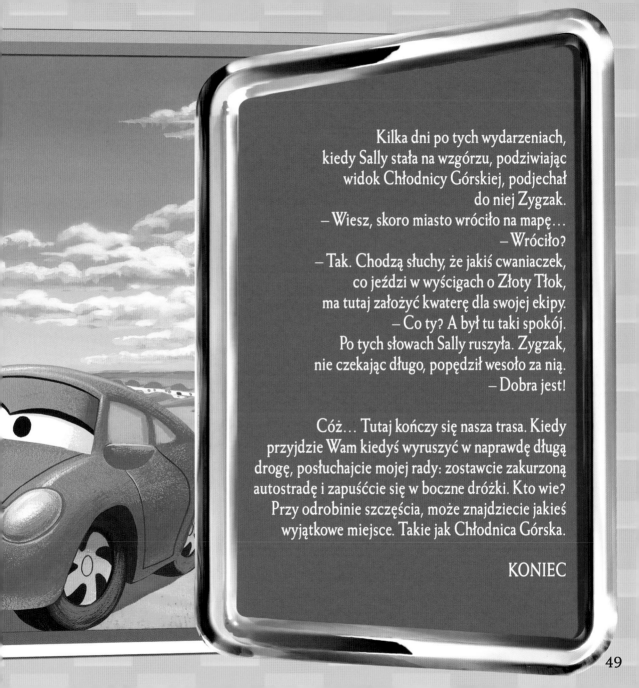

Kilka dni po tych wydarzeniach,
kiedy Sally stała na wzgórzu, podziwiając
widok Chłodnicy Górskiej, podjechał
do niej Zygzak.
– Wiesz, skoro miasto wróciło na mapę…
– Wróciło?
– Tak. Chodzą słuchy, że jakiś cwaniaczek,
co jeździ w wyścigach o Złoty Tłok,
ma tutaj założyć kwaterę dla swojej ekipy.
– Co ty? A był tu taki spokój.
Po tych słowach Sally ruszyła. Zygzak,
nie czekając długo, popędził wesoło za nią.
– Dobra jest!

Cóż… Tutaj kończy się nasza trasa. Kiedy
przyjdzie Wam kiedyś wyruszyć w naprawdę długą
drogę, posłuchajcie mojej rady: zostawcie zakurzoną
autostradę i zapuśćcie się w boczne dróżki. Kto wie?
Przy odrobinie szczęścia, może znajdziecie jakieś
wyjątkowe miejsce. Takie jak Chłodnica Górska.

KONIEC

49

Błazenek o imieniu Nemo
mieszkał z tatą na Wielkiej Rafie Koralowej.
Bardzo chciał pójść do szkoły i poznać tajemnice oceanu.
Nie przeczuwał, że jego i tatę czeka wielka przygoda.
Jeśli interesuje Cię ta historia, czytaj razem ze mną.
Przewróć stronę, gdy usłyszysz ten dźwięk…
Zaczynajmy!

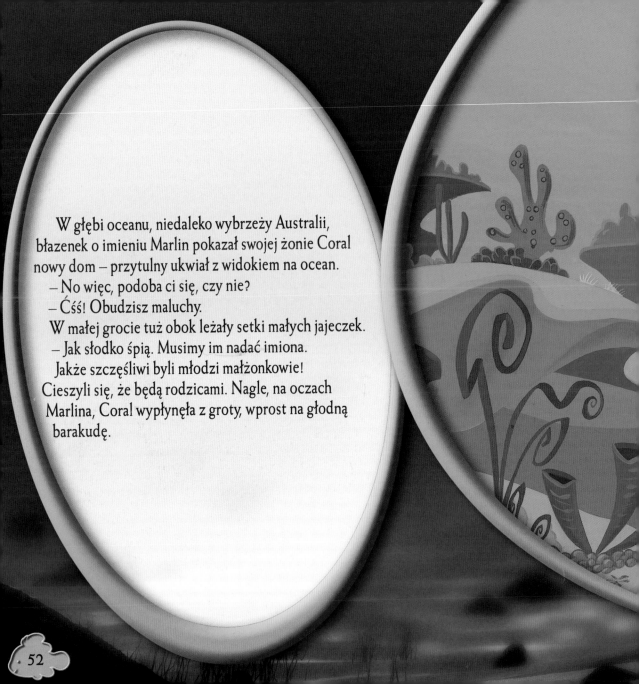

W głębi oceanu, niedaleko wybrzeży Australii, błazenek o imieniu Marlin pokazał swojej żonie Coral nowy dom – przytulny ukwiał z widokiem na ocean.

– No więc, podoba ci się, czy nie?

– Ćśś! Obudzisz maluchy.

W małej grocie tuż obok leżały setki małych jajeczek.

– Jak słodko śpią. Musimy im nadać imiona.

Jakże szczęśliwi byli młodzi małżonkowie! Cieszyli się, że będą rodzicami. Nagle, na oczach Marlina, Coral wypłynęła z groty, wprost na głodną barakudę.

52

Coral bała się o dzieci. Marlin nie chciał, żeby zrobiła coś nierozsądnego.

– Coral, szybko do domu! Nie pokazuj! Schowaj się w domu! Ale już!

Coral ruszyła w kierunku groty. Barakuda za nią. Marlin próbował powstrzymać drapieżnika, ale silne uderzenie sprawiło, że stracił przytomność. Kiedy się ocknął, wokół panowała cisza.

– Coral! Coral?…

Grota była pusta. Coral zniknęła. Nagle Marlin dostrzegł lekko uszkodzone jajeczko. Delikatnie wziął je w płetwy.

– Tatuś cię trzyma i nie pozwoli, by cię spotkało coś złego… Nemo.

Czas mijał. Nemo rósł. Wszystko go ciekawiło.

– Ile żyją żółwie?

Marlin się uśmiechnął.

– Nie wiem. Jak spotkam jakiegoś żółwia, to spytam.

Nemo marzył o przygodach, ale tata tak się o niego bał, że prawie nie spuszczał go z oczu.

– Na razie!

Pierwszego dnia szkoły nauczyciel chciał zabrać dzieci na głębię. Marlin podsłuchał jak Nemo z nowymi kolegami przekomarzają się, kto podpłynie do łodzi. Bardzo się zdenerwował.

– Uch! Nemo! Sam wiesz, jak pływasz.

– Znaczy dobrze pływam, tato, tak?

– Nie. Miałem rację. Pójdziesz do szkoły za rok czy za dwa.

Nemo zmarszczył brwi.

– Nienawidzę cię.

Na przekór tacie, Nemo popłynął w kierunku łodzi. Tata wołał za nim:

– Wracaj natychmiast! Słyszysz? Wracaj mi w tej chwili!

Nagle, tuż za maluchem, pojawił się nurek. Nemo krzyknął:

– Aaaa! Tato! Ratunku!

Marlin chciał płynąć do syna, ale oślepiła go lampa błyskowa. Jeden z nurków robił zdjęcia. Drugi wyjął siatkę i złapał w nią Nemo. Potem obaj wrócili na pokład. Kiedy łódź ruszyła, maska jednego z nich wpadła do wody. Marlin próbował ich gonić.

– Nemo! Nemo, Nemo, nie! Nie!

Pływał jak oszalały.

– Czy ktoś z was nie widział łodzi? Pomóżcie! Błagam!

Rybka o imieniu Dory zaproponowała pomoc.

– O! Łódź? Ja tu widziałam łódź. Płyń za mną.

Marlin popłynął za nią, gdy nagle...

– Przestań mnie śledzić, dobra?

– No, co ty opowiadasz? Pokazujesz mi, dokąd popłynęła łódź!

Dory posmutniała.

– Przepraszam cię. Wiesz, ja cierpię na brak pamięci krótkotrwałej.

Widząc, że Dory nie może pomóc, Marlin ruszył w swoją stronę i nagle... stanął oko w oko z rekinem!

61

Rekin Żarło wyszczerzył zębiska i zaprosił rybki na spotkanie. Marlin chciał się wykręcić, ale Dory była zachwycona.

– Na imprezkę?

– Tak, tak. Coś w tym rodzaju. Cha, cha!

Rekin zabrał rybki do wraka otoczonego morskimi minami. Czekały tam inne rekiny. Razem wyrecytowały słowa przysięgi:

– Jestem miłym rekinem, nie bezmyślną maszyną do pożerania. Ryby to kumple, nie żarcie.

Wtedy Marlin zobaczył znajomy przedmiot – maskę nurka!

Opowiedział rekinom, co się stało z Nemo. Żarło bardzo, ale to bardzo, mu współczuł.

– To to jest ojciec! I on szuka swojego synka.

Wtedy Marlin dostrzegł napis na masce. Może to podpowiedź, gdzie szukać Nemo?

Pomyślał głośno:

– Co te znaki znaczą?

Dory złapała maskę i uderzyła się w nos. Żarło poczuł krew.

– Uuu! Genialne! Dziś biorę rybę na zimno! Żarcie!

Koledzy próbowali go powstrzymać, ale ogarnięty szałem Żarło puścił się w pogoń za Marlinem i Dory. W zamieszaniu złapał w szczęki torpedę. Wypluł ją, a ona popłynęła ku otaczającym wrak minom. Oceanem wstrząsnął wybuch.

Nemo ocknął się w akwarium, w gabinecie dentystycznym, wśród grupki rybek tropikalnych. Wszystkie pochodziły ze sklepu zoologicznego, oprócz Idola. On, tak jak Nemo, wychował się w oceanie. Miał bliznę – pamiątkę po próbie ucieczki z akwarium. Rybki i pelikan Nigel jak zwykle podglądali dentystę przy pracy. Wtem lekarz podszedł do akwarium i, pokazując zdjęcie swojej siostrzenicy Darli, powiedział:

– Przyjedzie tu w piątek, żeby cię zabrać. Dostanie cię w prezencie.

Rybki zamarły ze strachu. Darla była rybobójczynią!

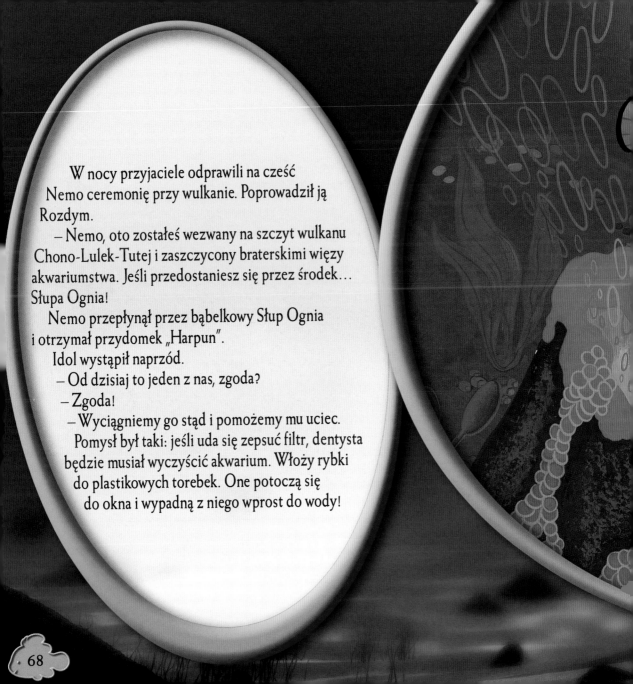

W nocy przyjaciele odprawili na cześć
Nemo ceremonię przy wulkanie. Poprowadził ją
Rozdym.

— Nemo, oto zostałeś wezwany na szczyt wulkanu
Chono-Lulek-Tutej i zaszczycony braterskimi więzy
akwariumstwa. Jeśli przedostaniesz się przez środek…
Słupa Ognia!

Nemo przepłynął przez bąbelkowy Słup Ognia
i otrzymał przydomek „Harpun".

Idol wystąpił naprzód.

— Od dzisiaj to jeden z nas, zgoda?

— Zgoda!

— Wyciągniemy go stąd i pomożemy mu uciec.
Pomysł był taki: jeśli uda się zepsuć filtr, dentysta
będzie musiał wyczyścić akwarium. Włoży rybki
do plastikowych torebek. One potoczą się
do okna i wypadną z niego wprost do wody!

70

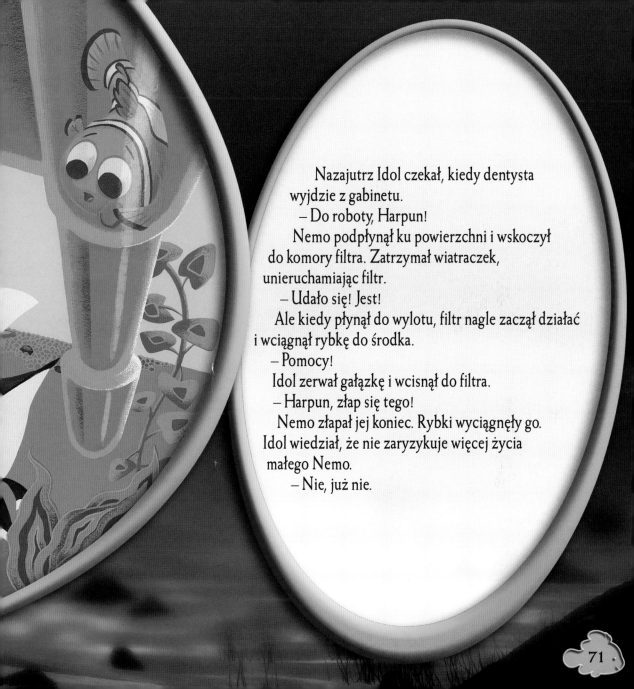

Nazajutrz Idol czekał, kiedy dentysta
wyjdzie z gabinetu.

– Do roboty, Harpun!

Nemo podpłynął ku powierzchni i wskoczył
do komory filtra. Zatrzymał wiatraczek,
unieruchamiając filtr.

– Udało się! Jest!

Ale kiedy płynął do wylotu, filtr nagle zaczął działać
i wciągnął rybkę do środka.

– Pomocy!

Idol zerwał gałązkę i wcisnął do filtra.

– Harpun, złap się tego!

Nemo złapał jej koniec. Rybki wyciągnęły go.
Idol wiedział, że nie zaryzykuje więcej życia
małego Nemo.

– Nie, już nie.

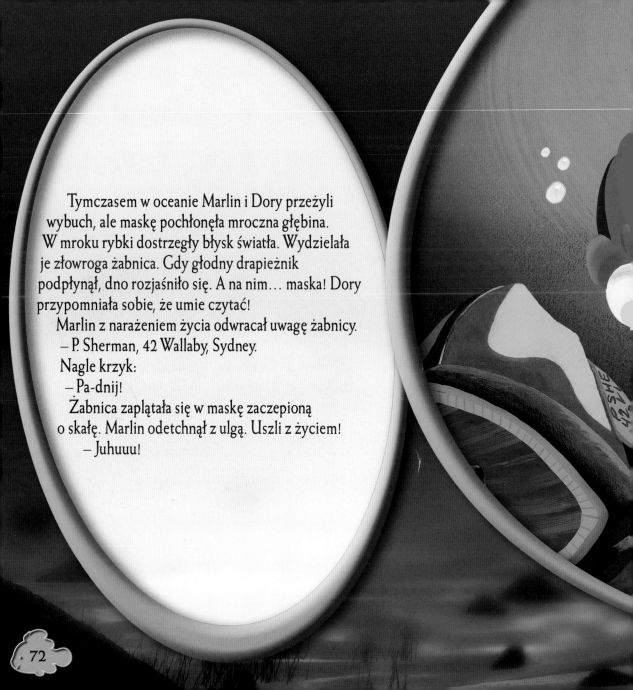

Tymczasem w oceanie Marlin i Dory przeżyli
wybuch, ale maskę pochłonęła mroczna głębina.
W mroku rybki dostrzegły błysk światła. Wydzielała
je złowroga żabnica. Gdy głodny drapieżnik
podpłynął, dno rozjaśniło się. A na nim… maska! Dory
przypomniała sobie, że umie czytać!

Marlin z narażeniem życia odwracał uwagę żabnicy.

– P. Sherman, 42 Wallaby, Sydney.

Nagle krzyk:

– Pa-dnij!

Żabnica zaplątała się w maskę zaczepioną
o skałę. Marlin odetchnął z ulgą. Uszli z życiem!

– Juhuuu!

Po drodze Marlin i Dory spotkali ławicę rybek.
Rybki polubiły Dory, a z Marlina odrobinę sobie kpiły.
Pokazywały różne kształty, powiedziały też, jak dotrzeć
do Sydney.
– Płyniecie do PWA – to Prąd Wschodnioaustralijski.
Trudno go przegapić. To będzie… w tę stronę.
Marlin i Dory popłynęli zgodnie z ich wskazówkami.
Po drodze natknęli się na meduzy. Marlin był odporny
na ich parzydełka, ale Dory z każdą chwilą traciła siły.
Marlin pomagał jej, ona jednak nie mogła już płynąć.
W oddali zamajaczyła sylwetka wielkiego żółwia.

Kiedy Marlin się ocknął, leżał na skorupie żółwia. Ten się przywitał:

– Kolo! Mów mi Luzak.

– No dobrze, Luzak. Muszę się dostać na ten... Taki australijski nurt. Znasz go?

– Kolo, Wschodni Prąd?

Wokół płynęły setki żółwi morskich.

Syn Luzaka, Junior, bawił się z Dory. Marlin opowiedział o poszukiwaniach Nemo:

– No więc mieszkam na jednej rafie. Strasznie, strasznie daleko stąd...

Junior przekazał to homarowi, homar delfinowi i wkrótce wieść się rozniosła.

Dotarła do pelikana Nigela w Sydney.

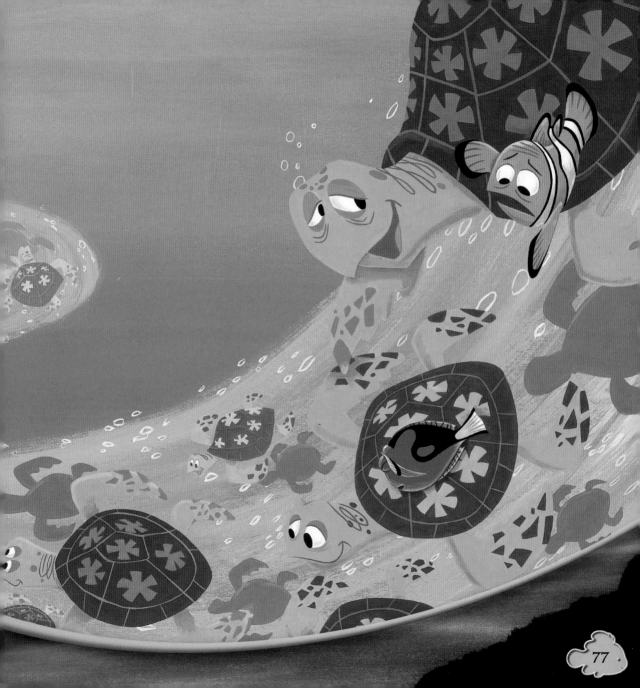

Nigel powtórzył Nemo wszystko, co usłyszał:

– Szuka cię twój ojciec i przetrząsa cały ocean. I ponoć kieruje się tu do nas, do Sydney!

– Mój tata? Marlin?!

Nigel przytaknął.

– Tak jest! Marlin, błazenek z rafy!

– Serio?

Nemo odzyskał nadzieję. Złapał kamyk, wskoczył do komory filtra i znów zablokował urządzenie. Tym razem na dobre.

Przyjaciele wiwatowali:

– Harpun, udało ci się!

– Tak!

W akwarium zrobiło się brudno.

Dentysta musiał je oczyścić.

Niedaleko Sydney, Marlin i Dory pożegnali
się z morskimi żółwiami. Choć Marlin próbował
powstrzymać Dory, rybka postanowiła spytać o
drogę wieloryba. Gdy waleń podpłynął, usłyszeli krzyk
ławicy kryla:

— Spływać!

Za późno! Rybki dostały się do wnętrza wieloryba.
Marlin był zrozpaczony. Czy ich misja ma się tak nagle
skończyć? Dory się nie poddawała. Zapytała wieloryba,
co powinni zrobić.

— Powiedział, że lepiej opaść w dół. Zobaczysz,
wszystko będzie dobrze!

Marlin posłuchał. Nagle coś wyrzuciło rybki
wysoko w powietrze. I… zobaczyły światła Sydney.

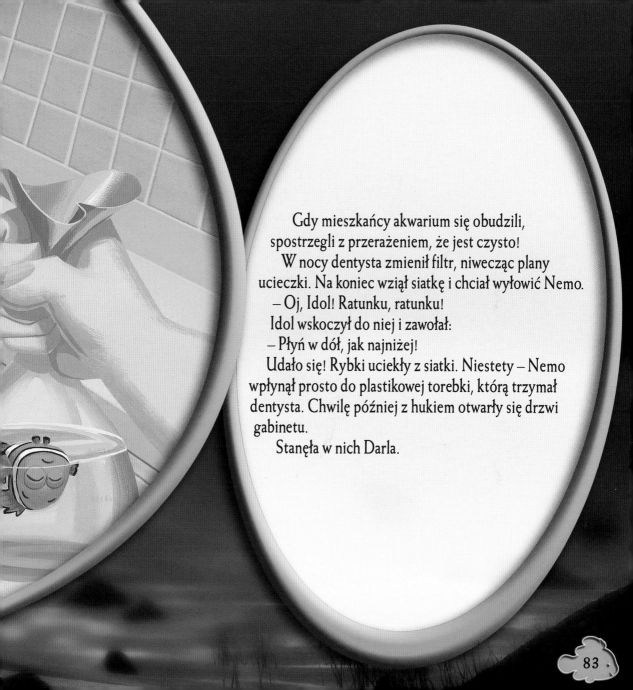

Gdy mieszkańcy akwarium się obudzili, spostrzegli z przerażeniem, że jest czysto!

W nocy dentysta zmienił filtr, niwecząc plany ucieczki. Na koniec wziął siatkę i chciał wyłowić Nemo.

– Oj, Idol! Ratunku, ratunku!

Idol wskoczył do niej i zawołał:

– Płyń w dół, jak najniżej!

Udało się! Rybki uciekły z siatki. Niestety – Nemo wpłynął prosto do plastikowej torebki, którą trzymał dentysta. Chwilę później z hukiem otwarły się drzwi gabinetu.

Stanęła w nich Darla.

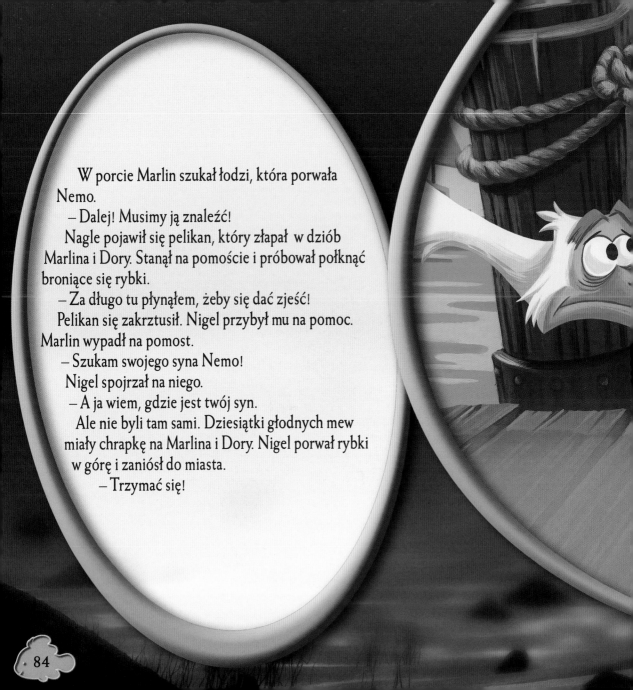

W porcie Marlin szukał łodzi, która porwała Nemo.

– Dalej! Musimy ją znaleźć!

Nagle pojawił się pelikan, który złapał w dziób Marlina i Dory. Stanął na pomoście i próbował połknąć broniące się rybki.

– Za długo tu płynąłem, żeby się dać zjeść!

Pelikan się zakrztusił. Nigel przybył mu na pomoc. Marlin wypadł na pomost.

– Szukam swojego syna Nemo!

Nigel spojrzał na niego.

– A ja wiem, gdzie jest twój syn.

Ale nie byli tam sami. Dziesiątki głodnych mew miały chrapkę na Marlina i Dory. Nigel porwał rybki w górę i zaniósł do miasta.

– Trzymać się!

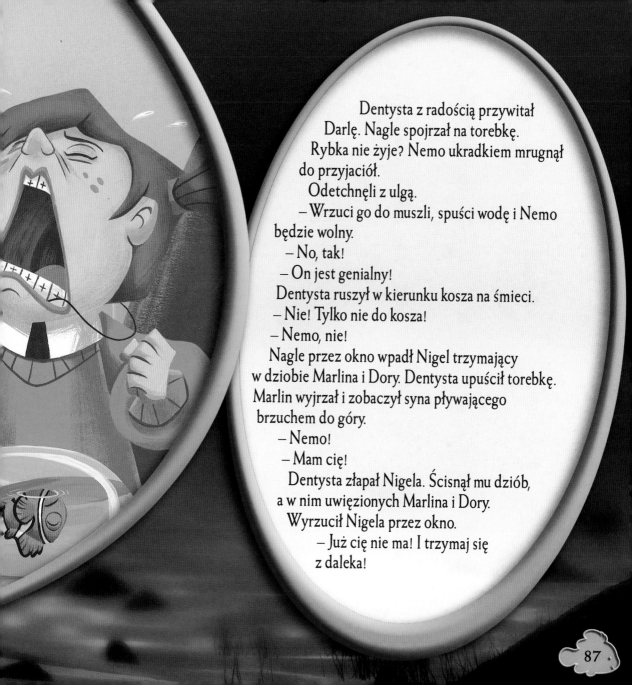

Dentysta z radością przywitał
Darlę. Nagle spojrzał na torebkę.
Rybka nie żyje? Nemo ukradkiem mrugnął
do przyjaciół.

Odetchnęli z ulgą.

– Wrzuci go do muszli, spuści wodę i Nemo
będzie wolny.

– No, tak!

– On jest genialny!

Dentysta ruszył w kierunku kosza na śmieci.

– Nie! Tylko nie do kosza!

– Nemo, nie!

Nagle przez okno wpadł Nigel trzymający
w dziobie Marlina i Dory. Dentysta upuścił torebkę.
Marlin wyjrzał i zobaczył syna pływającego
brzuchem do góry.

– Nemo!

– Mam cię!

Dentysta złapał Nigela. Ścisnął mu dziób,
a w nim uwięzionych Marlina i Dory.

Wyrzucił Nigela przez okno.

– Już cię nie ma! I trzymaj się
z daleka!

87

Nemo otworzył oczy.

– Tata? Tata?!

Ale było za późno. Tata zniknął.

– Rybka?

Darla chwyciła torebkę i zaczęła nią potrząsać.

Idol zawołał:

– Do wulkanu Chono-Lulek-Tutej!

Rybki przesunęły wulkan. Idol wpłynął do krateru.

– Słup Ognia!

Jacques włączył bąbelki… i Idol wypadł z akwarium prosto na głowę Darli.

Dziewczynka w krzyk. Rzuciła Nemo na tackę. Idol podskoczył i Nemo wpadł do odpływu.

– Pozdrów tatę ode mnie. Cześć!

Nigel wrócił do portu. Wypuścił Marlina i Dory do wody.

– Ja… Tak mi przykro. Naprawdę.

Zrozpaczony Marlin odpłynął, zostawiając Dory samą.

– Spóźniliśmy się.

Wtem… pojawił się Nemo. Dostrzegł Dory pływającą w kółko.

– Wszystko w porządku?

– Chyba kogoś straciłam, ale… nic nie pamiętam.

– Jestem Nemo.

Powiedział, że też kogoś szuka, i że mogą poszukać razem. Kiedy Dory zobaczyła słowo „Sydney", wszystko sobie przypomniała.

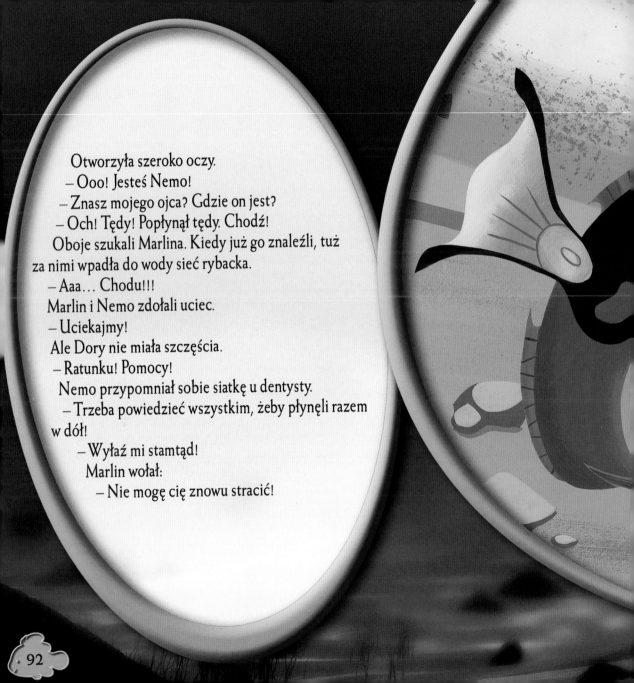

Otworzyła szeroko oczy.

– Ooo! Jesteś Nemo!

– Znasz mojego ojca? Gdzie on jest?

– Och! Tędy! Popłynął tędy. Chodź!

Oboje szukali Marlina. Kiedy już go znaleźli, tuż za nimi wpadła do wody sieć rybacka.

– Aaa… Chodu!!!

Marlin i Nemo zdołali uciec.

– Uciekajmy!

Ale Dory nie miała szczęścia.

– Ratunku! Pomocy!

Nemo przypomniał sobie siatkę u dentysty.

– Trzeba powiedzieć wszystkim, żeby płynęli razem w dół!

– Wyłaź mi stamtąd!

Marlin wołał:

– Nie mogę cię znowu stracić!

94

Ale zrozumiał, że jego syn się zmienił. On także.

– No tak... No to już! Już!

Nemo się uśmiechnął.

– Wiem, co robić!

– Słuchajcie mojego syna! W dół!

Sieć ruszyła w górę, Nemo wpłynął do środka.

– Trzeba, żeby wszyscy płynęli w dół!

– Płyńcie wszyscy w dół! Powtórzcie reszcie, że wszyscy muszą płynąć w dół!

Marlin został na zewnątrz. Wołał do wszystkich:

– Płyńcie w dół!

Ryby zaczęły płynąć w dół. Sieć przestała się podnosić. Potem się obniżyła i w końcu... pękła. Dory i pozostali byli wolni! Ale jednej rybki brakowało. Na dnie oceanicznym, pod siecią, leżał Nemo.

Marlin i Dory odsunęli sieć, ale Nemo się nie ruszał. Marlin był zrozpaczony.

– Nemo! Nemo…

Mały błazenek leżał w bezruchu. Gdy nagle… zakasłał…

– Tato…

Marlin odetchnął:

– Och, całe szczęście.

– Ja cię wcale nie nienawidzę.

– Och, nie, nie, nie, nie… Zawsze to wiedziałem, Nemo.

Nemo dotknął płetwy taty. Marlin się rozpromienił.

– Ej, wiesz co? Poznałem morskiego żółwia. I on miał całe 150 lat!

Kilka tygodni później Nemo był już w domu, gotów wrócić do szkoły. Marlin też był na to gotowy.

Okazało się, że w klasie jest nowy uczeń – Junior!

– Jestem z PWA, kolo.

Trzy rekiny odeskortowały Dory do domu.

– To na razie!

Żarło wyszczerzył zęby.

– To co, widzimy się w sobotę?!

Dory i Marlin pomachali Nemo na pożegnanie.

– Cześć, tato! O, jeszcze coś zapomniałem.

Nemo przytulił tatę.

– Kocham cię, tato.

Marlin uśmiechnął się.

– Ja ciebie też, synu. No, leć i baw się dobrze!

KONIEC

Drodzy Rodzice,

Z myślą o Waszych dzieciach przygotowaliśmy specjalną edycję książek z serii „Czytaj i słuchaj". Każde wydanie to dwa tytuły starannie wybrane spośród najpiękniejszych opowieści filmowych Disneya. Słuchowiska na dołączonych do książek płytach CD, zawierające oryginalne dialogi i efekty dźwiękowe oraz piosenki z filmów, zachęcą dzieci do czytania i będą okazją do wspólnej zabawy dla całej rodziny.

Szukajcie także: